DE LA MÊME AUTRICE

Aux Éditions Gallimard

LES ARMOIRES VIDES (« Folio » n° 1600).

CE QU'ILS DISENT OU RIEN (« Folio » n° 2010).

LA FEMME GELÉE (« Folio » n° 181).

LA PLACE (« Folio » n° 1722 ; « Folio Plus » n° 25 avec un dossier réalisé par Marie-France Savéan ; « Folioplus classiques » n° 61, dossier réalisé par Pierre-Louis Fort, lecture d'image par Olivier Tomasini).

LA PLACE – UNE FEMME (« Foliothèque » n° 36, étude critique et dossier réalisés par Marie-France Savéan).

UNE FEMME (« Folio » n° 2121 ; « La Bibliothèque Gallimard » n° 88, accompagnement critique par Pierre-Louis Fort).

PASSION SIMPLE (« Folio » n° 2545).

JOURNAL DU DEHORS (« Folio » n° 2693).

« JE NE SUIS PAS SORTIE DE MA NUIT » (« Folio » n° 3155).

LA HONTE (« Folio » n° 3154).

L'ÉVÉNEMENT (« Folio » n° 3556).

LA VIE EXTÉRIEURE (« Folio » n° 3557).

SE PERDRE (« Folio » n° 3712).

L'OCCUPATION (« Folio » n° 3902).

L'USAGE DE LA PHOTO, en collaboration avec Marc Marie (« Folio » n° 4397).

Suite des œuvres d'Annie Ernaux en fin de volume

LE JEUNE HOMME

ANNIE ERNAUX

LE JEUNE HOMME

GALLIMARD

Il a été tiré de l'édition originale de cet ouvrage
soixante-dix exemplaires sur vélin rivoli
des papeteries Arjowiggins numérotés de 1 à 70.

Si je ne les écris pas, les choses ne sont pas allées jusqu'à leur terme, elles ont été seulement vécues.

Il y a cinq ans, j'ai passé une nuit mal-
habile avec un étudiant qui m'écrivait
depuis un an et avait voulu me rencontrer.

Souvent j'ai fait l'amour pour m'obliger
à écrire. Je voulais trouver dans la fatigue,
la déréliction qui suit, des raisons de ne
plus rien attendre de la vie. J'espérais
que la fin de l'attente la plus violente qui
soit, celle de jouir, me fasse éprouver la
certitude qu'il n'y avait pas de jouissance
supérieure à celle de l'écriture d'un livre.
C'est peut-être ce désir de déclencher
l'écriture du livre — que j'hésitais à entre-

prendre à cause de son ampleur — qui m'avait poussée à emmener A. chez moi boire un verre après un dîner au restaurant où, de timidité, il était resté quasiment muet. Il avait presque trente ans de moins que moi.

Nous nous sommes revus aux week-ends, entre lesquels nous nous manquions de plus en plus. Il m'appelait tous les jours d'une cabine téléphonique, pour ne pas éveiller les soupçons de la fille avec qui il vivait. Elle et lui, pris dans les habitudes d'une cohabitation précoce et les soucis des examens, n'avaient jamais imaginé que faire l'amour puisse être autre chose que la satisfaction plus ou moins ralentie d'un désir. Être une sorte de création continue. La ferveur qu'il manifestait devant cette nouveauté me liait de plus en plus à lui. Progressivement, l'aventure était devenue une histoire que nous avions envie de mener jusqu'au bout, sans bien savoir ce que cela signifiait.

Quand, à ma satisfaction et mon soulagement, il s'est séparé de son amie et qu'elle a quitté l'appartement, j'ai pris l'habitude d'aller chez lui du vendredi soir au lundi matin. Il habitait Rouen, la ville où j'avais été moi-même étudiante dans les années soixante et que je n'avais fait que traverser, pendant des années, pour me rendre sur la tombe de mes parents, à Y. Dès mon arrivée, abandonnant dans la cuisine, sans les déballer, les provisions que j'avais apportées, nous faisions l'amour. Un laser était déjà glissé dans la chaîne, mis en route aussitôt que nous entrions dans la chambre, le plus souvent les Doors. À un moment je cessais d'entendre la musique.

Les accords fortement plaqués de *She Lives in the Love Street* et la voix de Jim Morrison m'atteignaient de nouveau. Nous restions couchés sur le matelas posé à même le sol. Le trafic était intense à cette heure-là. Les phares projetaient des lueurs sur les murs de la chambre, à travers les hautes fenêtres sans voilages. Il me semblait que je ne m'étais jamais levée d'un lit, le même depuis mes dix-huit ans, mais dans des lieux différents, avec des hommes différents et indiscernables les uns des autres.

Son appartement donnait sur l'Hôtel-Dieu, désaffecté depuis un an et en travaux destinés à en faire le siège de la préfecture. Le soir, les fenêtres de l'édifice étaient illuminées et le restaient souvent toute la nuit. La grande cour carrée, par-devant, était une étendue d'ombre claire et vide derrière les grilles fermées. Je regardais les toits noirs, la coupole d'une église émergeant au fond. En dehors des gardiens, il n'y avait plus personne. C'est dans ce lieu, cet hôpital que, étudiante, j'avais été transportée une nuit de janvier à cause d'une hémorragie due à un avortement clandestin. Je ne savais plus dans quelle aile était située la chambre que j'avais occupée pendant six jours. Il y avait dans cette coïncidence surprenante, quasi inouïe, le signe d'une rencontre mystérieuse et d'une histoire qu'il fallait vivre.

Les dimanches après-midi où il bruinait, nous restions sous la couette, finissant par nous endormir ou somnoler. De la rue silencieuse s'élevaient les voix de rares passants, souvent des étrangers d'un foyer d'accueil voisin. Je me re-sentais alors à Y., enfant, quand je lisais près de ma mère endormie de fatigue, tout habillée sur son lit, le dimanche après manger, le commerce fermé. Je n'avais plus d'âge et je dérivais d'un temps à un autre dans une semi-conscience.

Je retrouvais chez lui l'inconfort et l'installation sommaire que j'avais connus moi-même, au début de ma vie en couple avec mon mari quand nous étions étudiants. Sur les plaques électriques, dont le thermostat ne fonctionnait plus, on ne pouvait cuire que des biftecks menaçant d'attacher aussitôt au fond de la poêle et des pâtes ou du riz dans d'incontrôlables débordements d'eau. Le vieux frigo inréglable congelait la salade dans le bac à légumes. Il fallait enfiler trois pulls pour supporter le froid humide des pièces, hautes de plafond, aux fenêtres disjointes, impossibles à chauffer avec des radiateurs électriques ruineux.

Il m'emmenait au Bureau, au Big Ben, des cafés fréquentés par les jeunes. Il m'invitait au Jumbo. Sa radio préférée était Europe 2. Tous les soirs il regardait *Nulle part ailleurs*. Dans les rues, les gens qu'il saluait étaient toujours des jeunes, souvent des étudiants. Quand il s'arrêtait pour leur parler, je me tenais à l'écart, ils me regardaient furtivement. Après, il me racontait le parcours universitaire de celui que nous avions croisé, détaillant ses réussites ou ses échecs. Quelquefois, de loin, avec discrétion, en me demandant de ne pas me retourner, il me signalait un prof de sa fac de lettres. Il m'arrachait à ma génération mais je n'étais pas dans la sienne.

Sa jalousie extrême — il m'accusait d'avoir reçu un homme chez moi parce que la lunette des toilettes était relevée — rendait inutile de douter de sa passion pour moi et absurde ce reproche que je soupçonnais ses copains de lui avoir lancé, *comment peux-tu sortir avec une femme ménopausée ?*

Il me vouait une ferveur dont, à cinquante-quatre ans, je n'avais jamais été l'objet de la part d'un amant.

Soumis à la précarité et à l'indigence des étudiants pauvres — ses parents endettés vivaient en proche banlieue parisienne sur un salaire de secrétaire et un contrat emploi solidarité — il n'achetait que les produits les moins chers ou en promotion, de la Vache qui rit en portions et du camembert à cinq francs. Il allait jusqu'à Monoprix acheter sa baguette de pain parce qu'elle coûtait cinquante centimes moins cher qu'à la boulangerie voisine. Il avait spontanément les gestes et les réflexes dictés par un manque d'argent continuel et hérité. Une forme de débrouillardise permettant de s'en sortir au quotidien. Rafler, dans l'hypermarché, une poignée d'échantillons de fromage dans l'assiette tendue par la démonstratrice. À Paris, pour pisser sans payer, entrer avec détermination dans un café, repérer les toilettes et ressortir ensuite avec désinvolture. Regarder l'heure aux parcmètres (il n'avait pas de montre), etc. Il jouait au Loto sportif chaque semaine, attendant, comme il est naturel au cœur de la nécessité, tout du hasard : « Je gagnerai un jour, c'est forcé. » En fin de matinée, le dimanche, il regardait *Téléfoot* avec Thierry Roland. Le moment juste où le footballeur marque un but et où toute la foule du Parc des Princes se lève, l'acclame, était pour lui l'image du bonheur absolu. Cette pensée lui donnait même des frissons.

Il disait « stop » ou « c'est bon » à la place de « merci » quand je le servais à table. Il m'appelait « la meuf », « la reum ». Il s'amusait de mes hauts cris poussés en apprenant qu'il avait fumé du shit. Il n'avait jamais voté, n'était pas inscrit sur les listes électorales. Il ne pensait pas qu'on puisse changer quoi que ce soit à la société, il lui suffisait de se glisser dans ses rouages et d'esquiver le travail en profitant des droits qu'elle accordait. C'était un jeune d'aujourd'hui, convaincu de « chacun sa merde ». Le travail n'avait pour lui pas d'autre signification que celle d'une contrainte à laquelle il ne voulait pas se soumettre si d'autres façons de vivre étaient possibles. Avoir un métier avait été la condition de ma liberté, le demeurait par rapport à l'incertitude du succès de mes livres, même si je convenais que la vie étudiante m'avait paru plus riche et plaisante.

Il y a trente ans, je me serais détournée de lui. Je ne voulais pas alors retrouver dans un garçon les signes de mon origine populaire, tout ce que je trouvais « plouc » et que je savais avoir été en moi. Qu'il lui arrive de s'essuyer la bouche avec un morceau de pain ou qu'il pose le doigt sur son verre pour que je ne lui verse pas davantage de vin m'était indifférent. Que je m'aperçoive de ces signes — et peut-être, plus subtilement encore, que j'y sois indifférente — était une preuve que je n'étais plus dans le même monde que lui. Avec mon mari, autrefois, je me sentais une fille du peuple, avec lui j'étais une bourge.

Il était le porteur de la mémoire de mon premier monde. Agiter le sucre dans sa tasse de café pour qu'il fonde plus vite, couper ses spaghettis, détailler une pomme en petits morceaux piqués ensuite au bout du couteau, autant de gestes oubliés que je retrouvais en lui, de façon troublante. J'avais de nouveau dix, quinze ans, et j'étais à table avec ma famille, mes cousins, dont il avait la peau blanche, les pommettes rouges des Normands. Il était le passé incorporé.

Avec lui je parcourais tous les âges de la vie, ma vie.

Je l'emmenais dans les lieux que j'avais fréquentés durant mes années d'étudiante. Les cafés Le Métropole et Le Donjon, près de la gare. La faculté des Lettres, rue Beauvoisine, désaffectée depuis son transfert sur le campus de Mont-Saint-Aignan, restée à l'extérieur dans l'état qui était le sien dans les années soixante, avec son tableau d'affichage protégé par une grille — seule l'horloge sur la façade était arrêtée. La petite cité universitaire de la rue d'Herbouville et à côté le restau U où, après en avoir franchi l'entrée, monté les quelques marches et nous être trouvés dans le hall, inchangé, avec le radiateur au milieu et les portes à la même place, il m'avait semblé, pendant de longues minutes, me mouvoir dans le temps sans nom du rêve.

L'amour sur le matelas par terre dans la chambre glaciale, la dînette sur un coin de table et le chahutage juvénile auquel je m'étais pliée facilement me donnaient un sentiment de répétition. À la différence du temps de mes dix-huit, vingt-

22

cinq ans, où j'étais complètement dans ce qui m'arrivait, sans passé ni avenir, à Rouen, avec A., j'avais l'impression de rejouer des scènes et des gestes qui avaient déjà eu lieu, la pièce de ma jeunesse. Ou encore celle d'écrire / vivre un roman dont je construisais avec soin les épisodes. Celui d'un week-end au Grand Hôtel de Cabourg, d'un voyage à Naples. Certains avaient été écrits déjà, telle l'escapade à Venise, où j'étais allée pour la première fois avec un homme en 1963, où j'y avais retrouvé en 1990 un jeune Italien. Même l'emmener à une représentation de *La Cantatrice chauve* à la Huchette était le redoublement d'une initiation pratiquée avec chacun de mes fils, à leur entrée dans l'adolescence.

Notre relation pouvait s'envisager sous l'angle du profit. Il me donnait du plaisir et il me faisait revivre ce que je n'aurais jamais imaginé revivre. Que je lui offre des voyages, que je lui évite de chercher un travail qui l'aurait rendu moins disponible pour moi, me semblait un marché équitable, un bon deal, d'autant plus que c'est moi qui en fixais les règles. J'étais en position dominante et j'utilisais les armes d'une domination dont, toutefois, je connaissais la fragilité dans une relation amoureuse.

Je m'autorisais des reparties brutales dont je ne sais si elles étaient liées à sa dépendance économique ou à son jeune âge. *Lâche-moi la grappe*, cette injonction vulgaire qui l'offusquait, je ne l'avais jamais adressée à personne avant lui.

J'aimais me penser comme celle qui pouvait changer sa vie.

À plus d'un égard — de la littérature, du théâtre, des usages bourgeois — j'étais son initiatrice mais ce qu'il me faisait vivre était aussi une expérience initiatique. La principale raison que j'avais de vouloir continuer cette histoire, c'est que celle-ci, d'une certaine manière, avait déjà eu lieu, que j'en étais le personnage de fiction.

J'avais conscience qu'envers ce jeune homme, qui était dans la première fois des choses, cela impliquait une forme de cruauté. Invariablement, à ses projets d'avenir avec moi, je répondais : « le présent suffit », ne disant jamais que le présent n'était pour moi qu'un passé dupliqué. Mais la duplicité, dont il avait l'habitude de m'accuser dans ses accès de jalousie, ne se situait pas, contrairement à ce qu'il imaginait, dans les désirs que j'aurais pu avoir pour d'autres que lui, ni même, comme il en était persuadé, dans le souvenir de mes amants. Elle était inhérente à sa présence à lui dans ma vie, qu'il

avait transformée en un étrange et continuel palimpseste.

Chez moi, il endossait le peignoir à
capuche qui avait enveloppé d'autres
hommes. Lorsqu'il le portait, je ne revoyais
jamais l'un ou l'autre d'entre eux. Devant
le tissu-éponge gris clair j'éprouvais seulement la douceur de ma propre durée et
de l'identité de mon désir.

Il nous arrivait de parler du temps où
il serait marié, père d'un enfant. Ce futur
que nous évoquions les yeux dans les
yeux, en nous étreignant, tous les deux au
bord des larmes, n'était nullement triste.
Il rendait le moment présent d'autant plus
intense et poignant que nous le vivions
comme du passé. Nous communions ima-
ginairement dans notre perte réciproque
avec un plaisir extrême.

Mon corps n'avait plus d'âge. Il fallait le regard lourdement réprobateur de clients à côté de nous dans un restaurant pour me le signifier. Regard qui, bien loin de me donner de la honte, renforçait ma détermination à ne pas cacher ma liaison avec un homme « qui aurait pu être mon fils » quand n'importe quel type de cinquante ans pouvait s'afficher avec celle qui n'était visiblement pas sa fille sans susciter aucune réprobation. Mais je savais, en regardant ce couple de gens mûrs, que si j'étais avec un jeune homme de vingt-cinq ans, c'était pour ne pas avoir devant moi, continuellement, le visage marqué d'un homme de mon âge, celui de mon propre vieillissement. Devant celui d'A., le mien était également jeune. Les hommes savaient cela depuis toujours, je ne voyais pas au nom de quoi je me le serais interdit.

Parfois je remarquais chez certaines femmes de mon âge l'envie d'accrocher son regard, selon, pensais-je, une logique simple : si elle lui plaît, il préfère les femmes mûres, pourquoi pas moi ? Elles connaissaient leur place dans la réalité du marché sexuel, que celui-ci soit transgressé par une de leurs semblables leur donnait de l'espoir et de l'audace. Pour agaçante que soit cette attitude de vouloir capter — discrètement le plus souvent — le désir de mon compagnon, elle ne me gênait pas autant que l'aplomb avec lequel des filles jeunes le draguaient ouvertement devant moi, comme si la présence à ses côtés d'une femme plus vieille que lui était un obstacle négligeable, voire inexistant. À bien réflé-chir, la femme mûre était pourtant plus dangereuse que la jeune — la preuve, il en avait quitté une de vingt ans pour moi.

Nous allions voir les films dont le sujet était une liaison entre un garçon jeune et une femme mûre. Nous en sortions déçus, énervés par un scénario dans lequel nous ne retrouvions pas ce que nous vivions, où la femme était une implorante qui finissait larguée et détruite. Je n'étais pas non plus la Léa de *Chéri*, le roman de Colette, que j'avais relu. Ce que je ressentais dans cette relation était d'une nature indicible, où s'entremêlaient le sexe, le temps et la mémoire. Fugitivement, je considérais A. comme le jeune homme pasolinien de *Théorème*, une sorte d'ange révélateur.

Comme dans toutes les situations qui contreviennent aux normes de la société, nous repérions immédiatement les couples semblables au nôtre. Entre eux et nous s'échangeaient des regards de connivence. Nous avions besoin de ressemblance. Il était impossible, au-dehors, d'oublier que nous vivions cette histoire sous le regard de la société, ce que j'assumais comme un défi pour changer les conventions.

Sur la plage, étendue près de lui, je savais que nos voisins nous observaient à la dérobée, moi surtout, qu'ils passaient mon corps au crible, mesuraient son degré d'avancement, quel âge peut-elle avoir ? Couchés séparément sur le sable, l'un et l'autre nous n'aurions reçu qu'une attention indifférente. Devant le couple que nous formions visiblement, les regards se faisaient impudents, frôlaient la sidération, comme devant un assemblage contre nature. Ou un mystère. Ce n'était pas nous qu'ils voyaient, c'était, confusément, l'inceste.

Un dimanche, à Fécamp, sur la jetée près de la mer, nous marchions en nous tenant par la main. D'un bout à l'autre nous avons été suivis par tous les yeux des gens assis sur la bordure de béton longeant la plage. A. m'a fait remarquer que nous étions plus inacceptables qu'un couple homosexuel. Je me suis souvenue d'un autre dimanche d'été où, entre mes parents, à dix-huit ans, j'avançais sur cette même promenade, accompagnée de tous les regards à cause de ma robe très moulante, ce qui m'avait valu le reproche irrité de ma mère de ne pas avoir mis de gaine, laquelle, disait-elle, « habille mieux ». Il me semblait être à nouveau la même fille scandaleuse. Mais, cette fois, sans la moindre honte, avec un sentiment de victoire.

Je n'étais pas toujours aussi glorieuse. Un après-midi à Capri, devant le spectacle des filles jeunes et bronzées vibrionnant sur la piazzetta où nous buvions des Campari, je lui avais lancé : « La jeunesse te tente ? » Son air surpris puis son éclat de rire m'avaient fait comprendre ma bourde. C'était une question pour manifester ma compréhension et ma largeur d'esprit, nullement pour connaître la vérité de son désir, dont je venais d'avoir la preuve une

heure avant. Or, non seulement elle sou-
lignait que, jeune, je ne l'étais plus, mais
elle l'excluait de cette catégorie que je lui
désignais, comme si d'être avec moi l'en
avait détaché.

Ma mémoire me redonnait aisément des
images de la guerre, des tanks américains
dans la Vallée, à Lillebonne, des affiches
du général de Gaulle sous son képi,
des manifs de mai 1968, et j'étais avec
quelqu'un dont les plus lointains souve-
nirs remontaient à grand-peine à l'élection
de Giscard d'Estaing. Auprès de lui, ma
mémoire me paraissait infinie. Cette épais-
seur de temps qui nous séparait avait une
grande douceur, elle donnait plus d'inten-
sité au présent. Que cette longue mémoire
du temps d'avant sa naissance à lui soit en
somme le pendant, l'image inversée, de
celle qui serait la sienne après ma mort,

avec les événements, les personnages politiques, que je n'aurai jamais connus, cette pensée ne m'effleurait pas. De toute façon, par son existence même, il *était* ma mort. Comme l'étaient aussi mes fils et que je l'avais été pour ma mère, disparue avant d'avoir vu la fin de l'Union soviétique mais qui se rappelait la sonnerie des cloches dans tout le pays, le 11 novembre 1918.

Il voulait un enfant de moi. Ce désir me troublait et me faisait ressentir comme une injustice profonde d'être en pleine forme physique et de ne plus pouvoir concevoir. Je m'émerveillais que, grâce à la science, il puisse être désormais réalisé après la ménopause, avec l'ovocyte d'une autre femme. Mais je n'avais nulle envie d'entreprendre la démarche en ce sens que mon gynécologue m'avait proposée. Je jouais simplement avec l'idée d'une nouvelle maternité dont, après la naissance de mon deuxième enfant, à vingt-huit ans, je n'avais plus jamais voulu. Lui, peut-être confondait-il ses désirs. Un été, à Chioggia, quand nous attendions le vaporetto pour retourner à Venise, il a dit : « Je voudrais être à l'intérieur de toi et sortir de toi pour te ressembler. »

Il m'avait montré des photos de lui enfant, frêle et bouclé, d'adolescent renfrogné sous des cheveux longs. Je n'avais aucune gêne à lui montrer les miennes de petite fille et d'adolescente. Pour l'un et l'autre, c'était loin. Je m'étais davantage forcée pour ressortir des photos de mes vingt, vingt-cinq ans, choisissant la plus jolie par vanité, tout en sachant que ce serait justement celle-là qui rendait plus cruelle la comparaison avec mon visage d'aujourd'hui, plus émacié et plus dur. C'était une autre fille qu'il voyait, dont la réalité, cherchée dans la femme actuelle, lui échapperait toujours. Le désir que lui inspirait cette fille au visage sans rides, aux cheveux en long rideau brun, cette fille qu'il ne verrait jamais, ce désir-là était sans issue. Comme l'avait traduit implicitement sa réaction spontanée, « cette photo-là, elle me fait de la tristesse ».

Un jour, dans une brasserie de Madrid où nous étions en train de déjeuner, il y a eu la chanson de Nancy Holloway, *Don't Make Me Over*. J'ai revu la cité universitaire des filles, à Rouen, ma recherche déboussolée, rue Eau-de-Robec et place Saint-Marc, de la plaque d'un médecin qui voudrait bien m'avorter, en novembre 1963. Kennedy venait d'être assassiné. Je regardais A. manger des frites en face de moi. Il était à peine plus vieux que l'amant étudiant dont j'avais été enceinte et qui, à son insu, avait imprimé dans ma mémoire cette chanson alors en vogue de Nancy Holloway, lui donnant un sens d'amour fou et de déréliction, mon état d'alors. J'ai pensé que, quel que soit l'homme avec qui je l'entendrais, elle n'aurait jamais que ce sens. Si, plus tard, la réentendant une fois de plus, je me rappelais aussi la brasserie de la Puerta del Sol avec A. en face de moi, ce moment ne tirerait sa valeur que d'avoir été le cadre d'un souvenir violent. Ce serait juste un souvenir second.

De plus en plus, il me semblait que je pourrais entasser des images, des expériences, des années, sans plus rien ressentir d'autre que la répétition elle-même. J'avais l'impression d'être éternelle et morte à la fois, comme l'est ma mère dans ce rêve que je fais souvent et au réveil je suis sûre pendant quelques instants qu'elle vit réellement sous cette double forme.

Cette sensation était un signe, celui que son rôle d'ouvreur du temps dans ma vie était fini. Le mien, d'initiatrice dans la sienne, sans doute aussi. Il a quitté Rouen pour Paris.

J'ai entrepris le récit de cet avortement clandestin autour duquel je tournais depuis longtemps. Plus j'avançais dans l'écriture de cet événement qui avait eu lieu avant même qu'il soit né, plus je me sentais irrésistiblement poussée à quitter A. Comme si je voulais le décrocher et l'expulser comme je l'avais fait de l'embryon plus de trente ans auparavant. Je travaillais continûment à mon récit et, par une stratégie résolue de distanciation, à la rupture. À quelques semaines près, celle-ci a coïncidé avec la fin du livre.

On était en automne, le dernier du ving-tième siècle. Je me découvrais heureuse d'entrer seule et libre dans le troisième millénaire.

1998-2000
2022

Œuvres d'Annie Ernaux (suite)

LES ANNÉES (« Folio » n° 5000).

ÉCRIRE LA VIE (« Quarto »).

LE VRAI LIEU, entretiens avec Michelle Porte (« Folio » n° 6449).

MÉMOIRE DE FILLE (« Folio » n° 6448).

HÔTEL CASANOVA ET AUTRES TEXTES BREFS (« Folio 2 € » n° 6778).

MONSIEUR LE PRÉSIDENT (« Tracts »).

Dans la collection Écoutez lire

LES ANNÉES.

MÉMOIRE DE FILLE.

REGARDE LES LUMIÈRES MON AMOUR.

LA PLACE.

L'ÉVÉNEMENT.

Aux Éditions Stock

L'ÉCRITURE COMME UN COUTEAU, entretiens avec Frédéric-Yves Jeannet (« Folio » n° 5304).

Aux Éditions Nil

L'AUTRE FILLE.

Aux Éditions des Busclats

L'ATELIER NOIR (« L'Imaginaire » n° 733).

Aux Éditions du Mauconduit

RETOUR À YVETOT.

Aux Éditions du Seuil

REGARDE LES LUMIÈRES MON AMOUR (« Folio »
n° 6133, avec une postface inédite de l'auteur).

Composition : Nord Compo
Achevé d'imprimer par Normandie Roto Impression s.a.s.
61250 Lonrai en avril 2022.
Dépôt légal : avril 2022.
Numéro d'imprimeur : 2201639

ISBN : 978-2-07-298008-4 / Imprimé en France.

434138